NO OS
INDIGNÉIS
TANTO

NO OS INDIGNÉIS TANTO

Manel Fontdevila

ASTIBERRI

NO OS INDIGNÉIS TANTO

Diseño y maquetación: Manuel Bartual
www.estudiomanuelbartual.com

ISBN: 978-84-15685-34-0
Depósito legal: BI-1821-13
Impresión: Grafo

1.ª edición: noviembre 2013
2.ª edición: diciembre 2013

Astiberri Ediciones.
Apdo. 485 (48080) Bilbao
info@astiberri.com
www.astiberri.com

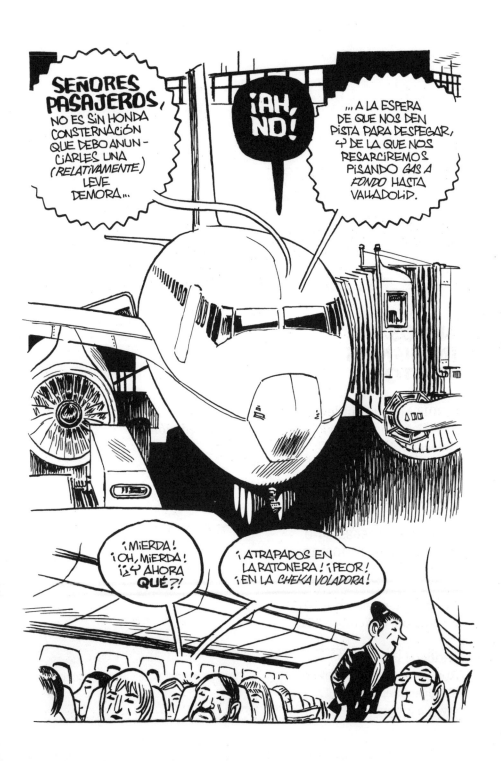

Abusos

LA *REFORMA LABORAL* NO SERÁ FÁCIL... EXIGIRÁ SACRI-FICIO...

NOS DIVIDI-REMOS EL TRABAJO: ¡NOSOTROS PONEMOS LA REFORMA Y VOSOTROS EL SACRI-FICIO!

Ranciedad

LOS TOROS SON... ¡LO NUESTRO! ¡HAY QUE MANTE-NERLOS!

LOS TOROS SON... ¡MODERNIDAD! ¡DESARROLLO! HE TENIDO UN SUE-ÑO... ¡EL FUTBOLÍN DE TOROS!

en cuanto a

SACARNOS

de la

CRISIS...

¡MARCA LA OPCIÓN QUE MÁS TE CONVENZA!

☐ No tienen ni idea.

☐ Les da absolutamente igual.

☐ Una mezcla de ambas.

En cualquier caso, no están a *NUESTRO LADO* del problema...

¡A ESTE LADO, BARRA LIBRE!

FORTUNAS HISTÓRICAS

ESPECULADORES

LA BANCA

GRANDES EMPRESARIOS

DE EMPRESAS PRIVADAS...

...O PRIVATIZADAS

¡GRACIAS, MAJOS!

¡No se toca a esta gente!

No producen nada, sólo problemas.

Deciden quién tiene dinero y quién no... ¡Nunca pierden!

¡Loor a ellos!

CONSTANTES TRASVASES DE FAVORES

Un gran % de la alta política se retira con un cargo aquí.

Se les mima con INDULTOS, AMNISTÍAS FISCALES, LEYES A MEDIDA y RESCATES que pagamos entre todos.

CUANDO TODO SUENA A ESTO...

OIGAN, HA HABIDO *MILES DE CRISIS EN LA HISTORIA*, Y TODAS SON IGUALES: PRIMERO SUBEN, LUEGO BAJAN...¿QUÉ ESPERAN QUE HAGA YO? ¡ES COMO LA GRIPE, HAY QUE PASARLA!

¡CONFÍEN EN EUROPA! ELLOS SON LISTOS, SABEN... COSAS... ¡SON SERIOS! ¡EUROPEOS, COÑO! HAGAMOS LO QUE DIGAN, Y A VER SI, A REBUFO DE SUS PROGRESOS...

SÍ, VALE, LOS DE ABAJO LO PASAN MAL Y LOS DE ARRIBA SIGUEN A LO SUYO... PERO A VER, ¿QUÉ ESPERABAN? ¡ES LA VIDA, LO SABEN PERFECTAMENTE! ¡Y BIEN QUE LES VALE CUANDO LA COSA FUNCIONA!

USTEDES VAN A PAGAR TODO, PONGAMOS QUE ES CIERTO... ¿Y QUÉ? ¡A CAMBIO, VIVEN EN LA CIVILIZACIÓN! ¡EN EL *PRIMER MUNDO*! HAY DE TODO, Y SI NO, YO QUÉ SÉ, PUEDEN... ¡OPTAR A *LAS MIGAJAS*! ¿QUÉ PREFIEREN? ¿UGANDA?

...¿QUÉ OTRA COSA VAS A HACER?

Antes del 15-M ya hubo otras manifestaciones multitudinarias que apuntaron en esa dirección...

Pero fue la previa a las elecciones, el 15 de mayo, la que bajo el lema "TOMA LA CALLE" cristalizó en las acampadas, las asambleas y el movimiento que lleva ese nombre.

POR EJEMPLO:

Éstos son algunos de los ajustes que las asambleas propusieron en nombre de una DEMOCRACIA CREÍBLE...

1 SEVEROS CAMBIOS EN LA LEY ELECTORAL.

¡No sin mi escaño!

2 DACIÓN EN PAGO DE LAS VIVIENDAS HIPOTECADAS.

¿ "Derecho a vivienda digna"?

No me suena, no...

3 DEROGACIÓN DE VARIAS LEYES INFUMABLES...

...Y aprobación de otras más justas

TASA TOBIN

4 REFORMA FISCAL FAVORABLE A LAS RENTAS BAJAS.

Vale, para sanear la economía hay que vivir en la miseria...

...Pero si vivimos en la miseria... ¿hemos saneado la economía DE QUIÉN?

5 ¡REFORMA LABORAL PARA LA CLASE POLÍTICA!

Y una vez retocados al alza mi sueldo y mi pensión...

¡...os sorprenderé haciendo algo que no venía en mi programa!

6 SEPARACIÓN EFECTIVA DE LOS PODERES LEGISLATIVO, EJECUTIVO Y JUDICIAL.

7 DEMOCRACIA PARTICIPATIVA Y DIRECTA

8 BASTA DE CORRUPCIÓN. LISTAS ELECTORALES LIBRES DE IMPUTADOS.

¡Qué poco democrático!

¡Somos la tercera fuerza política del país!

Paguen sus hipotecas...

Paguen nuestro rescate...

¡y paguen la deuda soberana que compramos con sus ayudas!

9 ¡CONTROL DE LA BANCA!

10 DEVOLUCIÓN DE LAS EMPRESAS PÚBLICAS PRIVATIZADAS.

¿Y qué más? Santa Rita, Rita Rita...

11 REDUCCIÓN DEL GASTO MILITAR.

¡No podía faltar! Back to the classics!

12 UN REPASILLO A LAS CONDICIONES LABORALES...

13 RECUPERACIÓN DE LA MEMORIA HISTÓRICA

TOTAL TRANSPARENCIA EN LAS CUENTAS DE LOS PARTIDOS

14

¡Estamos trabajando en ello!

¡Por Dios, paciencia!

SALDO

GANGA

OFERTA

LEY

EXCEPCIONES

LA PREGUNTA ES...

...¿Y CÓMO SE REACCIONÓ A ESTAS INTERESANTES PROPUESTAS?

LA REACCIÓN DE LA CLASE DIRIGENTE A LAS ACAMPADAS FUE... FUE... DIGAMOS...

... PECULIAR.

¡ESA TIENDA DE AHÍ ES UN ATAQUE INTOLERABLE AL ESTADO DE DERECHO!

¿Y DE LA PANCARTA, QUÉ?

NO SOMOS MERCANCÍA EN MANOS DE POLÍTICOS, EMPRESARIOS Y BANQUEROS

¡DEMOCRACIA REAL YA!

¿PANCARTA? ¿QUÉ PANCARTA?

(EL NINGUNEO NO IMPIDIÓ, POR SUPUESTO, VARIOS MOMENTOS DE GRAN BAILE POLICIAL)...

¿UN MANIFIES- TO? CURIO- SO... LO MÍO ES MÁS BIEN UN *POWER POINT*...

REK REK REK REK REK

LOS PERIO-DISTAS, HÁBILMENTE, COLGARON AL MOVIMIENTO UNA ETIQUETA CON SU NOMBRE...

STÉPHANE HESSEL ESCRIBE "INDIGNAOS"

+

LOS JÓVENES SALEN A LA CALLE

LOS JÓVENES SON "LOS INDIGNADOS"

SÍ, BUENO... TENEMOS UNA CARRE-RA, YA SABE...

...A PARTIR DE AQUÍ, GRAN VARIEDAD DE INTERPRETA-CIONES... ¡ESO SÍ, EN CANTIDADES BASTANTE DESPROPORCIO-NADAS!

Los de SIEMPRE

¿QUÉ PRETENDEN?

GRAN DESORDEN DE LA DEMOCRACIA

COMERCIANTES DE LA ZONA PIERDEN MILES DE MILLONES EN VENTAS

Uno que llevaba el megáfono ha suspendido tres para septiembre

EDITORIAL

Que se presenten a las elecciones como la GENTE NORMAL

MANO DURA

el Cool

YA ERA HORA

SOMOS DE LOS VUESTROS

¡NUESTRAS ASTUTAS HIPÓTESIS!

¿QUIÉN ESTÁ DETRÁS?

En CUANTO A ESTOS EJEMPLARES ...

¡PENSADORES! ¡INTELECTUALES! ¡FARO, LUZ Y GUÍA!

ESTUDIÉ Y CRECÍ EN UN PÁRAMO CULTURAL

1975

ENTERRÉ A LA DICTADURA

PENSÉ ESPAÑA Y LA DEMOCRACIA EN CADA UNA DE MIS PALABRAS

EN 1977, FUNDÉ TODO LO FUNDABLE Y ASESORÉ TODO LO ASESORABLE

ACONSEJÉ A LOS GOBIERNOS PROGRESISTAS DE LA **GRAN ÉPOCA**

1983

TUVE MIS PEQUEÑOS *CARGOS DE IMPORTANCIA* EN LA POLÍTICA CULTURAL

INVESTIGUÉ NUEVOS FORMATOS: MODA, GASTRONOMÍA, TELEVISIÓN

1992

SOY EMBAJADOR (CULTURAL) EN TOKIO, NUEVA YORK, BERLÍN...

SIGO, COMO EL PRIMER DÍA, OJO AVIZOR A LOS ATAQUES DE LA **IGNORANCIA** Y EL **PROVINCIANISMO**

...¿A **MÍ** ME VAIS A DECIR QUE HAY ALGO QUE REPENSAR?

ENTENDIERON DE GRACIÁN A UNAMUNO, DE LA SEGUNDA REPÚBLICA AL FIN DE LA TRANCISIÓN, **PERD...**

(ABRO UN PARÉNTESIS)

Lleida, caricArt 2013

Habla Antonio Fraguas, FORGES, humorista gráfico famoso e inagotable hombre-anécdota...

AH, EL **15-M**... DEJAD QUE OS CUENTE UNA EXPERIENCIA VIVIDA POR TRES AMIGOS MÍOS QUE TODOS CONOCERÉIS...

SABIO 1	SABIO 2	SABIO 3
¡INTELECTUAL DE TODA LA VIDA!	¡PENSADOR DE LA COMPLUTENSE!	¡PERIODISTA DE GRAN CALADO!

No recuerdo los nombres ni los currículos (ehem), pero el nivel venía a ser algo así (N. del A.)...

¡EH, ALTO! TAMPOCO VAMOS A DECIR QUE TODO EL *ESTABLISHMENT OFICIAL REMUNERADO* REACCIONÓ DE LA MISMA FORMA!

HUBO MÁS DE CUATRO JOSÉ LUIS SAMPEDROS... ¡ESTE ES UN PAÍS RICO EN CASOS PUNTUALES Y HECHOS AISLADOS!

... COMO TAMPOCO VAMOS A DAR POR BUENO QUE TODA LA JUVENTUD Y EL RESTO DE LA CLASE TROPA MOSTRARON ADHESIÓN INQUEBRANTABLE AL *MOVIMIENTO* **15-M**...

¡NO CAIGAMOS EN MÁS SIMPLIFICACIONES DE LAS ESTRICTAMENTE NECESARIAS!

DE HECHO... O SEA...

YO MISMO...

DEBERÍA DECIR...

YO CONFIESO...

No estará de más remarcar que, a pesar del carácter férreamente cívico y pacifista de las acampadas, las autoridades no dejaron de enviar ahí a las fuerzas del orden cuando les pareció oportuno.

POR EJEMPLO:
Barcelona, 27-V-11

SE DESALOJÓ LA PLAÇA CATALUNYA EN PREVISIÓN DE QUE ESE FIN DE SEMANA HUBIERA QUE CELEBRAR EL TRIUNFO DEL BARÇA EN LA *CHAMPIONS* ...

... Y RECORDAD: ¡NO ES DESALOJO!

¡NO ES VIOLENCIA!

¡ES FÚTBOL! Y EL FÚTBOL...

¡EL FÚTBOL ES ASÍ!

I'M SORRY

En cualquier caso, después de cada repaso policial los campamentos fueron remontados, recuperando rápidamente asambleas, manifiestos y esa prodigiosa producción de carteles con eslóganes, muchos de ellos inventados, otros basados en grandes clásicos de la Historia de la Pancarta.

NO HAY PAN PARA TANTO CHORIZO

SI NO SUMAS, RESTAS

YES, WE CAMP

¡DEMOCRACIA REAL YA!

NO PODEMOS APRETARNOS EL CINTURÓN Y BAJARNOS LOS PANTALONES AL MISMO TIEMPO

NO ES UNA CRISIS, ES UNA ESTAFA

NUESTRAS

ARMAS

ÚNETE, MADERO, TAMBIÉN ERES OBRERO

LA DIGNIDAD ES BIENVENIDA

MENÚ del DÍA

1º/ CORRUP-CIÓN
2º/ MEN-TIRAS
POSTRE
ELECCIO-NES

no falta dinero, SOBRAN LADRO-NES

VIOLENCIA ES COBRAR 600€

SI NO NOS DEJÁIS SOÑAR, NO OS DEJAREMOS DORMIR

SIN MIEDO

PIENSO, LUEGO ESTORBO

CERRADO POR REVOLUCIÓN
- - - - - - - -
DISFRUTEN LAS MOLESTIAS

ERROR
404
DEMOCRACIA NOT FOUND

recortar educación = recortar LIBERTAD

"... SI LOS REVOLUCIONARIOS DE LOS 70 ACABARON EN EL MÁRKETING Y LA PUBLICIDAD..."

"... ¿DÓNDE ACABARÁN ESTOS, QUE YA HAN EMPEZADO POR AHÍ?"

Estamos, decíamos, a 20 de mayo de 2011.
Nos dirigimos a Valladolid, donde se celebran unas jornadas sobre cómic a las que nos han invitado.

¿**L**o de siempre? Quizás, pero no de la forma prevista.

El 15-M contaminó toda la campaña con sus propuestas y puso bajo el foco una parte de la ciudadanía hasta entonces fuera de circuito.

¡NO NOS REPRE- SEN- TAN!

De todas formas, esto no es un libro sobre el 15-M... ¡¿Quién se acuerda hoy del 15-M?!

15/VI/2011

ESTO ES LO QUE HA PASADO: HOY EL PARLAMENT DE CATALUNYA DEBATÍA LOS PRESUPUESTOS PARA 2011, CON GRANDES RECORTES EN SANIDAD Y EDUCACIÓN...

Los parlamentarios están **AQUÍ**

...y tienen que llegar **AQUÍ**

...pasando por

AQUÍ

Para la ocasión, la rama barcelonesa del 15-M decide ocupar pacíficamente la entrada al Parc de la Ciutadella y así impedir el paso a los diputados... ¡ACCIÓN DIRECTA!

15M

NO NOS REPRE-SENTAN

NO ES UNA CRISIS

LO QUE TÚ DIGAS

¡PERO LA ÚNICA RESPONSA-BILIDAD POR TODO ESTO CORRERÁ A CUENTA DE LOS INDIGNADOS, QUE LO SEPAS!

YA, BUENO... ENTRE LOS RANCIOS HABITUALES NO LO DUDO...

PERO SI BUSCAMOS ENTRE *LOS NUESTROS*...

?!

EL ECO

ASALTO A LA DEMOCRACIA

¡Parecían BUENOS CHICOS!

INADMISIBLE 100%

EL VIEJO PROGRE

dice:

¡PASASTEIS UNA *LÍNEA ROJA*!

EL EJERCICIO DE LA DEMOCRA-CIA, LOS RE-PRESENTANTES DEL PUEBLO... ¡ES TODO SAGRADO!

NIÑOS TONTOS... ¡SE ACABÓ EL RECREO!

..."SE QUITARON ¡POR FIN! LA CARETA...

EL CORO MEDIÁTICO

Y también...

LA IZQUIERDA *(de toda la vida)*

...**"** le estáis haciendo el juego a la caverna mediático-política. Ya no sois creíbles... **UNFOLLOW!"**

EXIJO QUE LOS JOVENCITOS QUE SALEN A REPRESENTAR MI INDIGNACIÓN LO HAGAN CON EL TACTO / LA ELEGANCIA / LA EFICACIA CON LA QUE PODRÍA **YO MISMA** SALIR A HACERLO (SI QUISIERA)

¡JA!

¡SUPERLISTO!

EL 15·M *SIEMPRE* ESTUVO MANIPULADO POR GRUPOS ANTISIS-TEMA... ¡ERA *OBVIO*!

UN CONCEPTO QUE APARECE **AQUÍ Y ALLÁ:**

¡ARRUINARON EL ESPÍRITU DE LA TRAN-SICIÓN!

¡INFELICES!

Y HASTA ENTRE LOS **QUINCEEMEÍSTAS**... *comunicado aprox.*

LO SENTIMOS... NOS EQUIVOCAMOS... ¡NO VOLVERÁ A SUCEDER!

¡¿AH?!

INTERMEZZO
LÚDICO

DEBAJO DE LOS ADOQUINES ESTÁ LA PELEA

MIENTRAS EL PAÍS SE RETUERCE BAJO EL YUGO DE LA CRISIS, **USTED** NO PIERDE EL *ESPÍRITU DEPORTIVO* PARA SEGUIR ADELANTE...

DEBO INTENTARLO... SÍ... CULTIVAR *MINIHORTALIZAS* BIOLÓGICAS PARA LA CONFECCIÓN DE *GIN-TONICS* SOSTENIBLES ES UNA IDEA **GENIAL**

DE REPENTE...

¿QUÉ ES LO QUE OIGO?

RARO...

... YO DIGO: COMPRAR UNA BOMBA ATÓMICA EN **EBAY**, SÍ... ¡PERO NO A LOS CHINOS! TRABAJAN CON MATERIALES PELI-GROSOS...

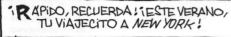

¡RÁPIDO, RECUERDA! ¡ESTE VERANO, TU VIAJECITO A *NEW YORK*!

¡AH, SÍ! ESTUVE FRENTE AL EDIFICIO DONDE SE HACE *THE NEW YORKER*... ¡CHULÍSIMO! ESTÁ TODO CON SU TIPOGRAFÍA Y...

¡**NO**, ANTES!... ¡EN EL AEROPUERTO!

EN EL... ¿AEROPUERTO?

ESA COLA INTERMINABLE PARA ACCEDER A LA TERMINAL DE EMBARQUE...

¡LA SITUACIÓN ES LA IDEAL PARA UN PAR DE *TWEETS* INFORMATIVOS!

CASI VEINTE MINUTOS DELANTE DE **ESE CARTEL**...

TERRORISTAS MÁS BUSCADOS

JO... QUÉ PINTAS DE PERDEDORES DE LA VIDA

SON... ¡SON **ELLOS**!

...LO IMPORTANTE ES NO METERSE LA BOMBA EN LA BOCA Y, POR SUPUESTO, LAVARSE LAS MANOS A *FONDO* DESPUÉS DE MANIPULARLA...

¡USTED YA SABE A LO QUE SE ENFRENTÁ Y DEBE ACTUAR RAPIDAMENTE!

¡NO HAY TIEMPO PARA AVISAR A LAS AUTORIDADES!

HOSPITAL

Hogar 3ª edad

ESCUELA GUARDERÍA

Biblioteca

UNIVERSIDAD

AQUÍ ESTARÁ BIEN... JA-JA-JA, LA DESTRUCCIÓN SISTEMÁTICA DE TODO SIGNO DE PROGRESO NOS DEVOLVERÁ AL *ESTATUS* DE **HOMBRES PRIMITIVOS**...

...¡DEL QUE NUNCA DEBIMOS SALIR!

!?!

¡POR SUERTE, USTED HA LEÍDO LOS CÓMICS Y VISTO LAS PELÍCULAS PERTINENTES A LA SITUACIÓN!

AMIGOS, EN DOS PALABRAS...

(¡OH! ¡POLÍTICOS DE RELUMBRÓN! ME ACERCARÉ, A VER SI ME RECONO- CEN...)

...UNA COSA ES QUE SE VAYA UN PAÍS AL GARETE, ¡Y OTRA MUY DISTIN- TA QUE ESTO LE PASE A UN BANCO!

SERÍA... ¡IRRACIONAL!

MI IDEA ES CONCEDER GRANDES CANTIDADES DE *DINERO GRATIS* A LA BANCA... ¡SE PUEDE, SI RECORTAMOS TODO LO RECORTABLE Y PRIVATIZAMOS TODO LO PRI- VATIZABLE!

¡HÁBIL! ¡HÁBIL!

HABRÁ QUE ACABAR CON HOSPITALES, ESCUELAS, SERVICIOS... PERO ¿QUÉ SERÍA MÁS INJUSTO?...

...¿QUE SUFRAN UN POCO MÁS LOS QUE YA SUFRÍAN, O QUE PASEN A SUFRIR LOS QUE ESTABAN BIEN?

OOOH...

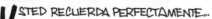

USTED RECUERDA PERFECTAMENTE...

¡**JAMÁS** RECORTA- REMOS EN LO SOCIAL! ¡LO PRIMERO, LAS PERSONAS!

¡Y LLEGA A UNA CONCLUSIÓN!

¡NOSOTROS *NO VOTAMOS* ESOS RECORTES CRIMI- NALES!

O SEA QUE *NOS MINTIERON* O... *HORREUR*...

¡SON **IMPOS- TORES**!

SEÑORES, ME TRAGUÉ DOS CICLOS DE CINE DE LOS **80** EN LA FACULTAD...

¡Y ALLÍ APRENDÍ UN PAR DE TRUCOS A LO *ROCKY BALBOA*!

¡POW!

¡ARRANCAD VUESTRAS CARETAS, ENERGÚMENOS! ¡VOSOTROS NO SOIS LOS REPRESENTANTES ELEGIDOS POR EL PUEBLO AL QUE, POR CIERTO, DESVALIJÁIS IMPUNEMENTE!

¿CONOCES A ESE ELEMENTO *MAJARA-ANTI-SOCIAL*?

...Y AHORA, SI SE ME PERMITE PARAFRASEAR AL *CHE GUEVARA* Y A *BERTOLT BRECHT*, YO...

¿EH?

¡UGH!

CAPULLO

¿PECÓ **USTED** DE INGENUO,
O SIMPLEMENTE ACTUÓ DE FORMA
IMPETUOSA E IRREFLEXIVA?

¡EN EL FUTURO,
USTED DEBERÍA PENSAR MEJOR
EN LO QUE HACE!

EL FINAL, QUE (¡AY!) SIEMPRE ME EMOCIONA, VIENE A DECIR ESTO:

Lo que sigue es delicioso (pero no puedo hablar de ello, lástima: es muy gracioso) —

Puesto que en el momento supremo, el juez lloraba y gritaba "¡MAMÁ!" igual que el hombre a quien ese mismo día había ordenado cortar el cuello.

¿NO ES BELLÍSIMO?

GEORGES BRASSENS, CANTANTE Y POETA DE EXQUISITA RETÓRICA...

¡EN 1952 AÚN NO LO SABÍA, PERO SUS CANCIONES IBAN A SER CLÁSICOS Y A CREAR ESCUELA!

AUNQUE AQUÍ... ¡AQUÍ ESTUVISTE **ZAFIO**, GEORGES!

¡QUE ESTAMOS EN **1952**!

JAMBA-LAYA ON THE BAYOU...
ESPAÑA RETIRA LAS CARTILLAS DE RACIONAMIENTO...
¡MÁQUINA DE LAVAR BRU! ¡CARIÑO! ¡INTERPRETASTE MIS PENSAMIENTOS!...
PADAM, PADAM, PADAM...
¡ARGENTINA TODA LLORA A EVITA PERÓN, LUCHADORA Y GRAN DAMA!
AMÉRICA SE RINDE A GENE KELLY EN "SINGIN' IN THE RAIN"
NO SE HABLA DE OTRA COSA: ¿PODRÁ LA TELEVISIÓN ACABAR CON EL CINE?
¡HIPNOSIS! ¡PROFESOR ALBA, EL HOMBRE QUE JUEGA CON LA MENTE!
A CONTINUACIÓN, LAS HERMANAS FLETA INTERPRETAN "PÉNJAMO"...
OJALÁ UN GORILA SODOMICE A LOS JUECES QUE FIRMAN PENAS DE MUERTE
ISABEL II ES CORONADA REINA DE INGLATERRA EN FLORIDA CEREMONIA...
¿ESTABA 1952 PREPARADO PARA "LE GORILLE"? PROBABLEMENTE, NO
DE HECHO, ES UNA REPRESENTACIÓN FALAZ: ¡"EL GORILA" TARDÓ ALGUNOS AÑOS EN PODER SER RADIADA!

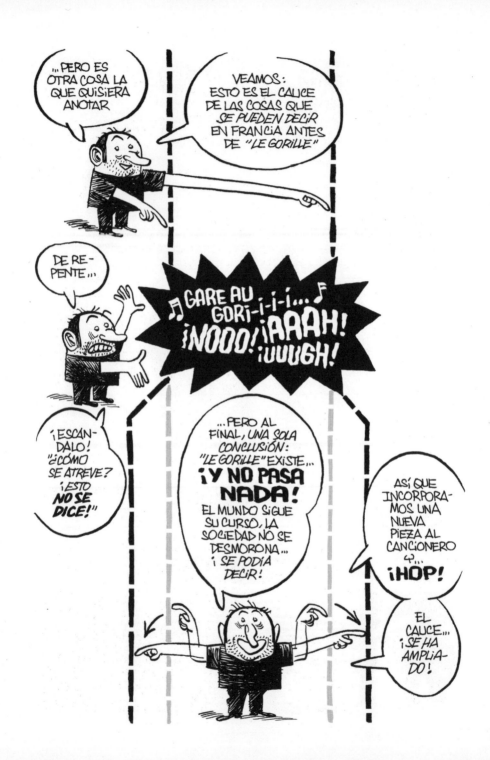

la revista que sale los miércoles

el jueves

18 de julio de 2007 · nº 1573

ANÍMALES EN PALACIO

LA PRINCESA TIENE UN PERRO LLAMADO MISTETAS

CARIÑO, ¿HAS VISTO A MISTETAS?

¡NO, PERO ME GUSTARÍA VERLAS!

LA PORTADA NO ERA ÉSTA, EN EFECTO, PERO ES QUE... ¡SIGUE PROHIBIDA!

¿HACE FALTA QUE SEAMOS ANIMALES QUE TROPIEZAN DOS VECES CON LA MISMA MULTA?

¡BUSQUEN EN INTERNET! ¡SALE FÁCILMEN-TE!

el jueves
2.500 EUROS

LA AUTÉNTICA PORTADA, DE UN GUSTO PARTICULAR E INTRANSFERIBLE, REPRESENTABA A LOS PRÍNCIPES EN PLENA CÓPULA

EL TEXTO, ADEMÁS, IRONIZABA SOBRE SU VIDA REGALADA

FINALMENTE EL GRAN PROBLEMA, LO INTOLERABLE DEL CASO, ES QUE HABÍAMOS SIDO...

¡ZAFIOS!

UNA ANÉCDOTA A PIE DE JUZGADO
QUE RESUME LAS REACCIONES AL TEMA

JO, ERA BUENÍSIMA LA PORTADA...

QUÉ RISAS EN REDACCIÓN... ¡Y CUÁNTA RAZÓN TENÉIS, JA JA...!

¡HABRÍA QUE DECIRLO MÁS, JA JA! ¡BUENÍSIMA!

EN FIN...

CLIC

¿OS PARECE NORMAL ACERCAROS A UN TEMA TAN DELICADO CON EL MAL GUSTO POR BANDERA? ¿Y SI FUERA UN PARIENTE VUESTRO QUIEN SALE AHÍ RETRATADO QUÉ, EH?

ESTA OBSESIÓN POR IGNORAR TODO LO QUE CIRCULE POR FUERA DEL DISCURSO OFICIAL, SIN LLEGAR A SER ATRACTIVO TURÍSTICO, ES MUY TÍPICA Y PINTORESCA DEL PAÍS

A LOS HUMORISTAS GRÁFICOS, POR EJEMPLO, SE NOS DESARTICULA POR EL MAL GUSTO, POR LO SOEZ

¡ESTO ES CAER EN EL INSULTO FÁCIL! ¡LA DEMAGOGIA TRASNOCHADA! ¡LA FATIGOSA ESCATOLOGÍA!

NO COMULGAMOS, POR LO VISTO, CON EL...

...HUMOR INTELIGEN-TE

EN ESPAÑA, EL HUMOR INTELIGENTE TIENE NOMBRES Y APELLIDOS: LA CODORNIZ

DE HECHO, SE LLAMABAN A SÍ MISMOS "LA REVISTA MÁS AUDAZ PARA EL LECTOR MÁS INTELIGEN-TE"... ¡OH!

(Pequeño silencio para la meditación del lector).

Durante la dictadura, LA CODORNIZ (1941-1978) gustaba de considerarse un artefacto moderno, transgresor, intelectual y apolítico. Pero lo cierto es que...

...LOS FUNDADORES VENÍAN DE HACER "LA METRALLETA", REVISTA SATÍRICA PARA EL BANDO FASCISTA DURANTE LA GUERRA CIVIL...

LA CODORNIZ

LA REVISTA MÁS AUDAZ BLA-BLA BLA

— Los dibujantes de La Codorniz estamos por encima de la realidad del país...

— ¡Los dibujantes de la competencia están por debajo!

...Y SU DIRECTOR ESTRELLA DURANTE 33 AÑOS, ÁLVARO DE LA IGLESIA, ESTUVO ALISTADO EN LA DIVISIÓN AZUL.

SUS FANS, QUE NO SON POCOS, DICEN QUE TODO ESTO ES INFORMACIÓN POCO RELEVANTE...

QUE LOS CENSURARON, QUE TAMBIÉN TUVIERON SUS PROBLEMILLAS...

PERO CLARO, EN ESA ÉPOCA... ¿QUIÉN NO LOS TUVO?

SANA DESOBEDIENCIA

II Saló del CÒMIC SOCIAL
Sta. Coloma de Gramanet
OCTUBRE 2011

,,, LA ATOMIZACIÓN DE LA EMPRESA EN SUB-SUB-SUBCONTRATAS HACE QUE SEA DIFICILÍSIMO COORDINAR UNA LUCHA ,,,

La charla se llama "CÓMIC Y SINDICALISMO". Somos todos, de verdad, bellísimas personas intentando arreglar el mundo.

Gente de discurso

Artistas de la pista

CUESTA MUCHO CONSEGUIR LA IMPLICACIÓN POPULAR ,,, LOS TIEMPOS DE LA ACAMPADA POR EL CIERRE DE SINTEL PASARON YA.

HOMBRE, PUES PRECISAMENTE EL 15-M ,,,

Activista de ATTAC

Veteranos sindicalistas

Dibujante sindicalista (francés)

Chistoso

Guionista (de L'Hospi-talet)

PUES...
¿SALIR A MANIFESTAROS SIN PEDIR ANTES PERMISO?

¡JA-JA-JA-JA!

El público me ríe el comentario...

...Y los sindicalistas me lo pasan por alto: ¡ser humorista no te ayuda a plantear según qué temas!

JAJAJA... TRANSFERIRÉ EL CEREBRO LLENO DE VALIOSOS DATOS DE LOS SINDICALISTAS AL CUERPO DE UN QUINCEEMEISTA, ÁGIL Y LLENO DE ENTUSIASMO... SERÁ...

¡EL FRANKENSTEIN DE LA REVOLUCIÓN!

SÍ... MUCHO JI-JI-JI, JA-JA-JÁ PERO LA SITUACIÓN ES MUY SERIA...

¡Y SE PONDRÁ AÚN PEOR!

CLARO, CLARO...

En fin...

"...VOLVEMOS A LO DE SIEMPRE: EL *CAUCE ADECUADO* PARA PEDIR LAS COSAS

RECIBIR HOSTIAS COMO BALCONES NO ES NUEVO: LAS QUE RECIBIÓ EL 15-M VIENEN BROTANDO A BUEN RITMO DESDE LA TRANSICIÓN, ¡O INCLUSO ANTES!

2011

1976

HAY UNA DIFERENCIA, APARENTEMENTE: LAS DE LA TRANSICIÓN TIENEN COARTADA HISTÓRICA; LAS DEL 15-M SON DESORDEN Y CHISGARABÍS

SEA COMO SEA, VALEN, EN ESENCIA, LO MISMO: ¡LA DEMOCRACIA SE PELEÓ EN LOS DESPACHOS! ¡O ASÍ NOS LO HAN CONTADO!

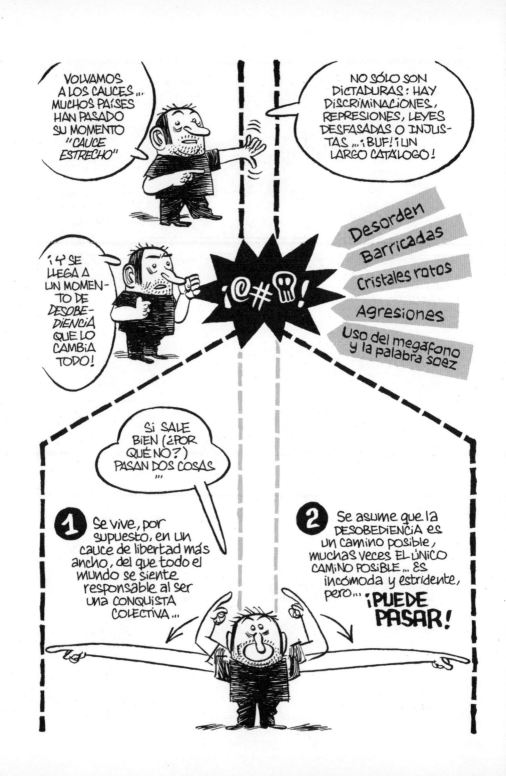

EN ESPAÑA, ENTRE LA DICTADURA Y LA DEMOCRACIA HUBO REVUELTAS Y PROTESTAS, CÓMO NO

LUCHADORES HISTÓRICOS...; Y HASTA TORTURADORES HISTÓRICOS! HOY VIVEN TODOS EN PAZ Y ARMONÍA PORQUE...

...A pesar de ellos, la transición a la democracia es algo que se planificó y llevó a cabo desde el cerebro (y el despacho) de unos pocos HÁBILES ESTRATEGAS.

Por ejemplo, **1995:** Serie de documentales "LA TRANSICIÓN", de Victoria Prego

..."SIN PERDER MÁS TIEMPO, S.M. EL REY CONVOCÓ AL Pte. SUÁREZ Y A TORCUATO FERNÁNDEZ MIRANDA...

¿TORCUATO? ¿EN SERIO?

¿VIVIMOS EN UN ESTADO PLANIFICADO POR ALGUIEN LLAMADO TORCUATO?

¡ASÍ SE ESCRIBE EL GUIÓN DE LA HISTORIA!

FUE UN PROCESO COMPLEJO, DELICADO, VALIENTE Y, POR SUPUESTO, REPRESENTABLE EN CAUCES

La lucha contra el Servicio Militar Obligatorio (la "Mili") ya llevó, desde mediados de los ochenta, a crear la figura del Objetor de Conciencia y la Prestación Social Sustitutoria. Para el *INSUMISO*, esto no colaba.

MARGA-RITA SE LLAMA MI AMOR ... ♪

Recluta

UNA CHICA-CHICA-CHICA BUM ... ♪

Objetor

¡BAH!

NO VOY

Insumiso

Según ellos, la PSS era un parche: el objetivo debía ser ACABAR con la mili... No todo el mundo pillaba la idea, la verdad.

HOMBRE, LO DE LA OBJECIÓN ESTÁ BIEN, ES LO APROPIADO, ¿NO?

LO DE LOS INSUMISOS, YA... HOMBREEE ...¡ESTO SERÍA *NO HACER NADA*!

Así me sermoneaba un jefe que tuve... ¡y desde el buen rollo!

MILI KK

El insumiso luchó, en efecto, desde la desobediencia, lo cual no es siempre un regalo.

¡NO ME DIGAS!

Poco a poco, tras años de esfuerzo constante, el ejemplo cundió hasta que finalmente...

¡LA INSUMISIÓN ES UN PROBLEMA DE ESTADO!

1994

J.A. BELLOCH
Ministro de Justicia

En fin, tras unos años más de insistencia, en 2001 se reclutó la última mili y en 2002 se amnistiaron los insumisos encarcelados.

¡CHAMPÁN PARA TODOS!

PERO

Poco después de aprobarse todo esto, Catalunya apareció forrada de estos carteles (cito de memoria):

¡La mili se acabó gracias a **CONVERGÈNCIA i UNIÓ**!

¡La mili se acabó gracias a **CONVERGÈNCIA i UNIÓ**!

?

Sí, OBLIGAMOS A ELLO AL GOBIERNO A TRAVÉS DE UNOS PACTOS...

¡NOSOTROS! ¡QUE CONSTE! ¡TODO EL MÉRITO, SI LO HAY, ES **NUESTRO**!

En resumen: una vez más, lo de siempre.

¡EL MÉRITO! ... MIENTRAS TANTO, ¿ALGUIEN HA AGRADECIDO A LOS INSUMISOS SU ESFUERZO?

¿ALGÚN RECONOCIMIENTO?... ¿ALGÚN (NO SERIAN) HOMENAJE OFICIAL?

De todas formas, esto no es un libro sobre los insumisos: ¡¿Quién se acuerda hoy de los insumisos?!

¡ESO FUE TODO!

MANEL F.

¡MÍRALO AHÍ, EL DEMÓCRATA, EL SOLIDARIO...

¡QUÉ ASCO! ¡CAMBIO DE CANAL!

¡XST! ¡A VER QUÉ SE CUENTA!...

¡**M**uy importante! ¡El pueblo controla a sus líderes!

¡JAJAJA! ¡NO PUEDE SER!

¡IMBÉCIL! ...¿PUES NO ACABA DE DECIR QUE LE GUSTAN MUCHO LOS DISCOS DE LOS *DIRE STRIPTEASE*?

ASÍ ES:

¡El capitalismo tiene los pies de barro!

¡HAY QUE SER GILIPOLLAS!... ¡LOS DIRE STRIP-TEASE!

SE NOTA QUE EL TÍO HA QUERIDO IR DE ENROLLADO Y...

¡JA! ¡EL RI-DÍCULO!

Eso es... ¡sin piedad!

¡PATÉTICO! ¡JAAA! ¡SEGURO QUE YA ESTÁ EL CORTE EN YOUTUBE COLGADO!

¡VAYAMOS A VERLO! ¡QUIERO MAN-DÁRSELO A TODO EL MUNDO!

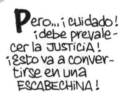

Pero... ¡cuidado! ¡debe prevale-cer la JUSTICIA! ¡Esto va a conver-tirse en una ESCABECHINA!

¡AH! ¡PUES SÍ, AHÍ ESTÁ!

¡LO CUELGO EN FACEBOOK! ¡DIRE STRIP-TEASE!

¿HAS VISTO? ¡#DareStriptease YA ES TRENDING TOPIC!

Os estáis ensañando! ¡Perdéis la cabeza!

Otros títulos de la misma colección

Sexorama. Donde caben dos caben tres
Manuel Bartual

Plétora de piñatas. Colección completa de tres tomos
Mauro Entrialgo

Cómo saber si tu gato planea matarte
The Oatmeal

La hermandad de la Biblia Perry
Nicholas Gurewitch

Ángel Sefija con el sexto sentido
Mauro Entrialgo

El amor es el infierno
Matt Groening

El libro de los conejitos suicidas
Andy Riley

Hágalo usted mismo
Andy Riley

Cómo convertirse en un hijo de puta
Mauro Entrialgo, Ata, Santi Orue

Urbano. Mi colega invita
Bernardo Vergara